Inhalt

E-Commerce - Die Flaute scheint überwunden zu sein

Kernthesen

Beitrag

Fallbeispiele

Weiterführende Literatur

Impressum

E-Commerce - Die Flaute scheint überwunden zu sein

E.Krug

Kernthesen

- Der bereits tot geglaubte Online-Handel hat in letzter Zeit durchaus lebendige positive Wachstumsraten vorzuweisen. (1), (2), (3)
- E-Commerce zeichnet sich heute durch erfolgreiche Konzepte, sowohl für Nischenanbieter als auch für große Handelsunternehmen aus. (4)
- Obwohl von den allzu euphorischen Wachstumsprognosen der ersten E-Commerce-Jahre Abstand genommen wird, zeichnet sich ein durchwegs positiver Trend

im Bereich elektronischer Handel ab. (1), (2), (3), (4)

Beitrag

E-Commerce, sprich die elektronische Abwicklung von Warengeschäften, schien schon von den Skeptikern zu Grabe getragen, doch der Online-Handel boomt wieder, wie aktuelle Studien belegen. Nach der ersten Euphorie, die mit dem Beginn des E-Commerce-Zeitalters einherging und nach übersteigerten Wachstumsprognosen folgte erst einmal das böse Erwachen, das von einer großen Pleitewelle begleitet war. Die Zweifler sahen den Online-Handel bereits begraben, doch sie haben sich offensichtlich getäuscht. (1), (2), (3), (4)

Die Zahlen sprechen für sich

Diverse Marktforschungsinstitute haben sich ausgiebig mit dem Thema beschäftigt und die Ergebnisse ihrer Studien haben grundsätzlich den gleichen Tenor. Obwohl die Zahlen zum Teil sogar deutlich differieren, bestätigen sie, dass E-Commerce sich einen festen Platz gesichert hat. (1), (2), (3), (4)
So lag, laut dem Konsumforschungsinstitut GfK aus

Nürnberg der Gesamtumsatz im E-Commerce 2002 noch bei EUR 4,67 Milliarden, 2003 dagegen schon bei EUR 5,8 Milliarden. Es handelte sich dabei um 76,5 Millionen einzelne Geschäftsvorfälle, wobei die Ausgaben durchschnittlich bei EUR 76 lagen. Im Schnitt kauften 15 Millionen Internet-Kunden ca. fünfmal pro Jahr online ein. (1)
Laut der Auskunft von 120 000 Internetnutzern in einer W3B-Umfrage, durchgeführt von Fittgau & Maaß, haben neun von zehn Usern bereits mindestens einmal im Netz eingekauft. (4)
Da stellt sich die Frage, warum der Online-Handel wieder so in Schwung gekommen ist.

Der neue Schwung beim E-Commerce

Ein Grund für den Aufschwung ist sicherlich, dass die Anfängerfehler langsam ausgemerzt werden, wie z.B. Web-Seiten kundenfreundlich gestalten, was zwar noch immer keine Selbstverständlichkeit ist, aber viele Anbieter im Web mittlerweile verstanden haben. Außerdem sind die Serviceangebote sowie die technische und gestalterische Umsetzung häufig nicht ausgereift. Vor allem kleinere Anbieter haben in dem Bereich Schwierigkeiten.
Ganz wichtig ist es natürlich auf die Kunden

einzugehen und deren Bedürfnisse zu berücksichtigen. Mittlerweile stellen versierte Online-Shopper ziemlich hohe Anforderungen. Sehr positiv wirkt sich die Angabe des Impressums aus, weil das einen Vertrauensvorsprung mit sich bringt. Besonders erfolgreich sind Anbieter, die wie gesagt interaktive Elemente, wie z.B. das Anprobieren von Kleidungsstücken an virtuellen Schaufensterpuppen, und einen einfallsreichen Kundenservice bieten. Die Erfolgsaussichten beim E-Commerce steigen zudem, wenn der Handel im Internet den Teil einer in der heutigen Zeit sehr im Trend liegenden Multi-Channel-Vermarktung darstellt. (1), (4), (5)
Hinzu kommt, dass sich der Marktplatz durch eine äußerst rasante Verbreitung von DSL-Anschlüssen enorm vergrößert hat. Die typische deutsche Zurückhaltung gegenüber Neuem hat sich gelegt und das Sicherheitsbedürfnis ist auch nicht mehr so groß, wie zu Beginn des Online-Handels. (4)
Mittlerweile haben sich in dem Bereich wirklich erfolgreiche Konzepte herauskristallisiert. Große Handelsunternehmen integrieren den Online-Handel in ihr Vertriebssystem und die Nischenanbieter finden im Internet ihr Standbein. So bietet sich auch gerade für den Mittelstand eine Chance durch die Web-Shops. (4)

E-Commerce im Mittelstand

Der Hauptgrund, sich für den Online-Handel zu entscheiden liegt beim Mittelständler sicherlich beim Kostenfaktor. So steht oft die Idee im Hintergrund, sein Geschäft offline in einem oder mehreren Läden weiterzuführen, sich dort eventuell zu spezialisieren und gleichzeitig im Internet einen Web-Shop einzurichten, über den man kostengünstiger seine Waren anbieten kann und somit konkurrenzfähig bleibt. (vgl. Cases)
Dort braucht man dann keine voll bezahlten Fachkräfte, es reicht häufig ein Call-Center aus, das mit Teilzeitkräften besetzt wird.
Zudem kann man mit einem relativ kleinen Budget einen immens großen Kundenkreis erreichen, was mit einem oder auch mehreren Läden kaum möglich wäre. Nicht zuletzt bieten Preisvergleichsplattformen den Händlern eine gute Möglichkeit einzusteigen und sich einen Kundenstamm aufzubauen. Sich dem ständigen Preisvergleich auszusetzen ist sicherlich anstrengend, aber die Möglichkeit, Umsatz und Gewinn zu steigern ist relativ groß, ebenso, wie die Möglichkeit bei an und für sich geringen Eintrittskosten eine doch sehr große Marktpräsenz zu bekommen. Der Kundenstamm besteht sehr stark aus Smart Shoppern und nicht unbedingt nur aus Schnäppchenjägern. Vielleicht vermitteln Internet-

Verkaufsplattformen, wie Ebay diesen Eindruck, aber hinter Ebay verbirgt sich mittlerweile wesentlich mehr, als die Möglichkeit über eine Auktion möglichst günstig einzukaufen. (6)

Ebay weit mehr, als eine große Auktion

Der Online-Versteigerer Ebay ist mit einer der Gründe, warum E-Commerce wieder so attraktiv geworden ist. Nicht zuletzt deshalb weil, und man spricht dabei vom Ebay-Effekt, durch diese Auktion die Verbraucher ins Netz gelockt werden.
Ebay wird nicht nur von fast 40 Prozent der deutschen Surfer im Internet genutzt, sondern findet zunehmend auch Anklang bei den professionellen Händlern, nicht zuletzt bei Mittelständlern und kleinen Handelsunternehmen. Die ideale Art, um Neukundenpotenzial zu erschließen, vor allem, wenn man sich auf Nischenprodukte spezialisiert hat. Aber auch Großversender, wie Quelle nutzen diese Plattform als Ergänzung.
Ebay Deutschland kann mit 5 000 umsatzstarken Anbietern, so genannten Power-Sellern aufwarten. Dass die traditionellen Händler auf dieser Plattform immer mehr zunehmen, kann man daran erkennen, dass bei 28 Prozent der Verkäufe der Preis vorgegeben

wird. Die klassischen Ebay-Auktions-Verkäufe liegen nur noch bei 72 Prozent.
Ebay bietet den Ebay Power-Sellern nicht nur einer Reihe von Hilfsmittel für eine optimale Abwicklung an, sondern bietet auch eine Art untervermietete Online-Shops für kleine Händler.
Ebay ist mehr als eine Auktion und dieser Trend wird sich fortsetzen. Mittlerweile gibt es auch Hersteller-Shops, wie es z.B. Lego realisiert hat. (7)

Fallbeispiele

Beispiele für erfolgreichen Online-Handel

Buchhandel Amazon.de liegt im Web ganz vorn (Ergebnis der Allensbacher Computer- und Technikanalyse Acta 2003)
Trotz der hohen Verkaufszahlen liegt hier nicht der Löwenanteil am Gesamtumsatz des Online-Handels. (1)

Reisebüros im Netz

In diesem Bereich verbirgt sich der Hauptanteil am Gesamtumsatz, bedingt durch die hohen Umsätze, die das Geschäft mit sich bringt. (1)

Autohandel
Die Autobranche ist eine der wachstumsstärksten Sparten im Internet.
Im vergangenen Jahr (2003) hat sich der Online-Fahrzeugmarkt verdoppelt, was bedeutet, dass 600 000 Autos online erworben wurden, davon war jedes fünfte ein Neuwagen (lt. Online Shopping Survey 2004 einer gemeinsamen Studie der Marktforschungsinstitute Enigma GfK und TNS Infratest). (1), (4)

Beispiel für einen mittelständischen Web-Shop

Elektronikhändler Hannes Majdic (Klagenfurt)
Familienunternehmen
Jahresumsatz: EUR 60 Millionen
Bisher: Zwei herkömmliche Elektronikgeschäfte in Klagenfurt und Villach
Oktober 2003: Kooperation mit der österreichischen Preisvergleichs-Plattform Geizhals.at
Erfolg: durch knappe Kalkulation ein nicht kleiner neuer Kundenstamm

Mai 2004: Majdic gründet die Firma Electronic4You als Aktiengesellschaft und eröffnet den Web-Shop
Auf seinem Betriebsgelände in Klagenfurt baut er momentan ein Logistikzentrum mit Call-Center und Abholshop (Kostenpunkt: EUR 2,5 Millionen)
Konzept: Mischsystem aus etablierten Geschäften und Web-Shop

Beispiel für erfolglosen Online-Handel

Lebensmittel-Lieferdienste
Der Versandkonzern Otto, der sich ansonsten sehr gut im Netz behauptet, musste im Juni 2003 seinen Otto-Supermarkt nach vier Jahren wieder schließen und das Geschäftsfeld aufgeben.
Zahlreiche andere Versuche, über Online-Shops frische Lebensmittel zu verkaufen, verliefen auch im Sande.
Heute ist der Lebensmittel-Lieferdienst in Deutschland kaum noch ein Thema. (4)

Weiterführende Literatur

(1) O.V., Außer Amazon und Ebay bestimmen traditionelle Firmen das Online-Geschäft, E-Commerce in Deutschland blüht, Computerwoche,

28.05.2004, S. 10-11
aus HORIZONT 18 vom 29.04.2004 Seite 066

(2) E-Commerce Hohe Wachstumsraten
aus Elektronik Praxis Nr. 14 vom 19.07.2004 Seite 018

(3) TNS prognoziziert weltweitem Online-Handel hohe Wachstumsraten
aus <e>MARKET Webmagazin vom 22.06.2004

(4) Nach der Auslese
aus Der Handel Nr.07-08 vom 14.07.2004 Seite 048

(5) Return to Sender
aus Lebensmittel Zeitung 29 vom 16.07.2004 Seite 035

(6) Web-Shops: Die Chance für den Mittelstand
aus WirtschaftsBlatt, 29.06.2004, Nr. 2146, S. 248,49,50,51

(7) Klassische Händler werden zu Power-Sellern
aus Lebensmittel Zeitung 27 vom 02.07.2004 Seite 024

(8) Schwierige Nachsorge im E-Commerce
aus W&V Online-Magazin vom 02.08.2004

Impressum

E-Commerce - Die Flaute scheint überwunden zu sein

Bibliografische Information der deutschen Nationalbibliothek

Die Deutsche Nationalbibliothek verzeichnet diese Publikation in der deutschen Nationalbibliografie; detaillierte bibliografische Daten sind im Internet über http://dnb.d-nb.de abrufbar.

ISBN: 978-3-7379-0706-4

© 2015 GBI-Genios Deutsche Wirtschaftsdatenbank GmbH, Freischützstraße 96, 81927 München, www.genios.de

Alle Rechte vorbehalten. Dieses Werk ist einschließlich aller seiner Teile – z.B. Texte, Tabellen und Grafiken - urheberrechtlich geschützt. Jede Verwertung außerhalb der Grenzen des Urheberrechtsgesetzes bedarf der vorherigen Zustimmung des Verlags. Dies gilt insbesondere auch für auszugsweise Nachdrucke, fotomechanische Vervielfältigungen (Fotokopie/Mikroskopie), Übersetzungen, Auswertungen durch Datenbanken oder ähnliche Einrichtungen und die Einspeicherung und Verarbeitung in elektronischen Systemen.